MOBILE SUIT 기동전사 건담 0083 REBELLION

GUNDAM 0083
REBELLION

16

CONTENTS

MOBILE SUIT
GUNDAM 0083
REBELLION
STARDUST MEMORIES

만화 　나츠모토 마사토

원작 　야다테 하지메　토미노 요시유키

협력 　선라이즈

콘셉트어드바이저 　이마니시 타카시

콜로니 안에서 지온의 소형정을 확인했다는 보고가!!

소형정? 그딴 건 상관없다.

콜로니의 최대 질량 파편이 북미에 낙착할 때까지 앞으로 2분 25초.

당황할 필요 없다. 이 자브로에는 파편 하나 안 떨어지니까.

일년전쟁의 참극에서 누구 하나 배운 사람이 없다는… 건가.

지온 놈들은 일년전쟁 때도, 그리고 이번에도!!

놈들은 학습이라는 걸 모르나 보군. 하하하!!

이 자브로에는 콜로니를 떨어트리지 못했다.

A. 1.

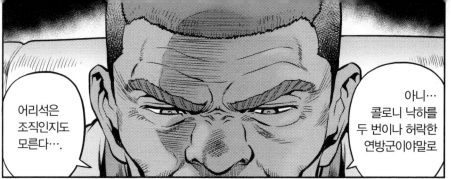

어리석은 조직인지도 모른다….

아니… 콜로니 낙하를 두 번이나 허락한 연방군이야말로

정보부에 오래 있다보면…

조직이건 개인이건 그 행동에는 넘어선 안 되는 선이 존재하죠.

사건을 말하자면, 아무리 거창한 대의가 있다고 해도

적이건 아군이건 조직 뒤쪽의 추한 부분을 알게 됩니다.

지온은 또 그 선을 넘었어.

……

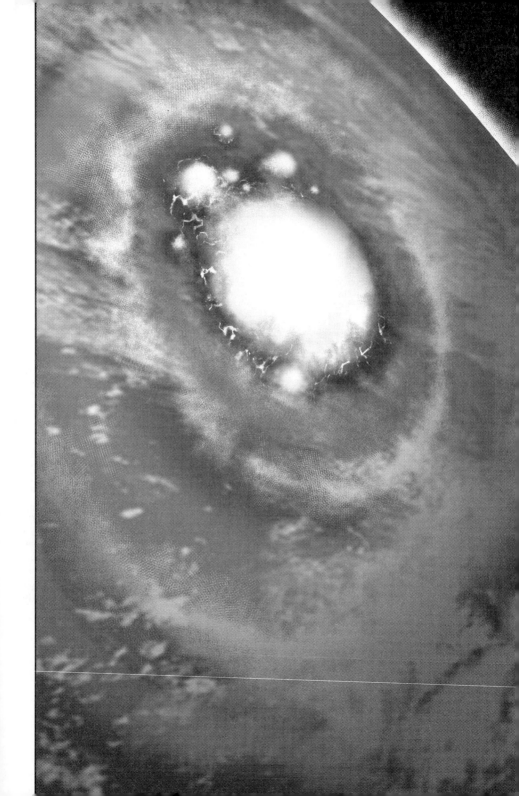

콜로니가 지상에 떨어진 섬광이야…

그럼… 니나도 건담도 콜로니와 같이, 저 빛 속에….

……

폴라?!

어?! 루세트?!

뭔가 정보가 있다면…

폐사의 엔지니어 니나 퍼플턴을 찾고 있습니다.

여기는 애너하임의 폴라 기리쉬 입니다.

타냐 중위님. 민간정이 교신을 접근 중. 요청 합니다.

민간정?

정말이야, 루세트?!

니나가 저 떨어진 콜로니에 있었다는 게?

니나는 자기 의지로 알비온에 남았어.

난 가지 말라고 설득했어.

뭘 어쩔 생각이야.

너야말로 이제서 이런 데 와서

세상에 ...

억지로라도 잡았어야지?!

니나한테…

가토의 메시지를 들려주려고 서둘러서 왔어.

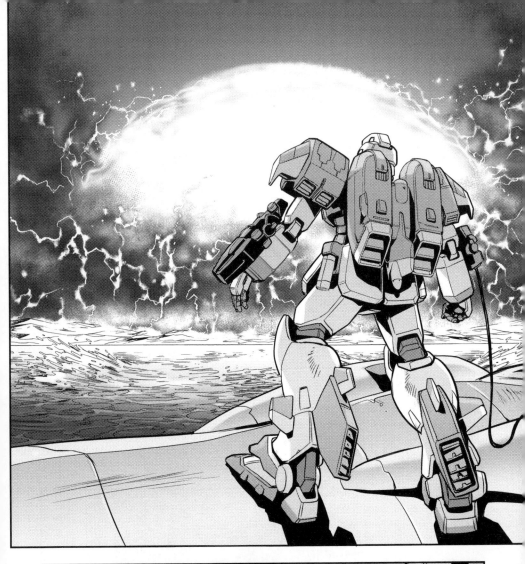

세상의
종말···

인가?

가토
소령님.

이 빛이
스페이스노이드의
이정표가
될 것이다.

델라즈여.
똑똑히
지켜봤다.

너희의
영혼의
빛을.

함대
후퇴!!

액시즈로
귀환한다!!

액시즈 선발 함대가 철수합니다.

이걸로 이번 일이 끝났군요. 바스크 대령님.

콜로니?

흥, 그건 사고다!!

사고라면 우리 군과는 상관없는 일이겠지.

그런데… 떨어진 콜로니 때문에 지상의 피해가 막대하다는 보고가…

예?

우리는 잔당이 벌인 테러를 저지하기 위해 함대를 출격시켰고

임무를 수행했다!! 그게 전부다.

콜로니 낙하 따위로

달라질 건 없다!!

뭐

뭐 라고?!

콜로니에서 이탈해 대기권에 강하했다는 보고가!!

아… 알비온 입니다!!

그 함? 무슨 소리냐. 명확하게 전달해.

그 함이 아직… 건재하다고 합니다.

바스크 대령님!! 지상에서 보고 입니다.

슈 우

우

우 웅

잘 했네
파사로프
대위.

고한다!!

각 부서는 피해
상황을 확인해서
보고하라.

한 숨
돌리는 건
그 뒤에
한다.

코우…

우라키 중위는 연락이 없었나요.

시냅스 함장님!!

반드시… 귀함한다고 약속했습니다.

…예.

진정해라!!

연락은 아직이다, 키스.

……

그게…

응? 왜 그러나.

함장님!! 사령부에서 긴급 통신이…

후우…

내용은?

MOBILE SUIT
GUNDAM
0083
REBELLION
STARDUST MEMORIES

MOBILE SUIT
GUNDAM
0083
REBELLION
STARDUST MEMORIES

제86화「흐릿한 지평선」

콜로니가 떨어진 폭심지에서는 아직 피해 상황도 파악하지 못하고 있습니다.

주위 2천km에 달하는 충격파와 지진의 영향, 각지를 덮친 해일…

충격 때문에 피어오른 분진이 성층권까지 올라가서, 앞으로 환경에 미칠 영향은 예측조차 할 수 없습니다.

이번 일에 대한 책임을 묻는 입장으로서

밀러 소령. 코웬 중장님은 어떻게 되셨나.

그런가…

지금도 자브로의 방에 연금 상태입니다.

큭….

알비온 부대가 결백하다는 건 알고 있습니다.

하지만 군 상층부에서는 콜로니 낙하라는 실태의 책임을

알비온에게 뒤집어 씌우려는 움직임이 있습니다.

함장님도 중장님도 위험한 처지라는 것만은 인식해 주십시오.

지휘관으로서 책임을 다할 각오는 되어 있다.

하지만 부하들에게 씌워진 혐의만은 인정할 수 없다.

함장님은 군사재판에 출정할 각오가 되어 있으시다는 말씀이시죠.

정보부로서는 중립으로 관여할 수밖에 없습니다. 용서해 주십시오.

그 말로 충분하네, 밀러 소령.

곧 통신권을
벗어나게 되니
마지막
확인입니다만.

건담이
콜로니 폭발에
휘말린 게
확실합니까?

그렇…
습니까.

한나절이
지나도록
구난 신호가
없다는 건,
아마도…

아니…
확인은
못 했지만

헌병대가
알비온을
구속하려고
움직이고
있습니다.

그 명령
내용에는
건담의
기체 회수도
있다고
합니다.

건담의
기동 기록
데이터 회수가
목적이라고
추정….

건담의 기동… 데이터?

……

통신, 두절 됐습니다.

……

신조함이… 걸레짝이 됐네.

...

난 지금 여기서 네놈을 극형에 처하고 싶지만!!

변명은 군사 법정에서나 해라…!!

가만히 있어!! 납덩이로 다물게 할 수도 있다!!

함장님!!

내 가족은 그 폭심지에 있었다….

그리고 …

거기에는 항상 건담… 인가.

공포와 분노가 증오로 바뀌고, 싸움의 연쇄를 거듭한다.

내 안전이
확보되면
정보 데이터를
직접 건네겠다!!

그
방식으로만
한다!!

좋아,
거래
성립이다.

그럼
나중에….

이걸로 연방
내부 분위기가
조금이나마
달라지면
좋겠는데….

그렇지 않으면,
인류가 치른 대가가
너무 무거워.

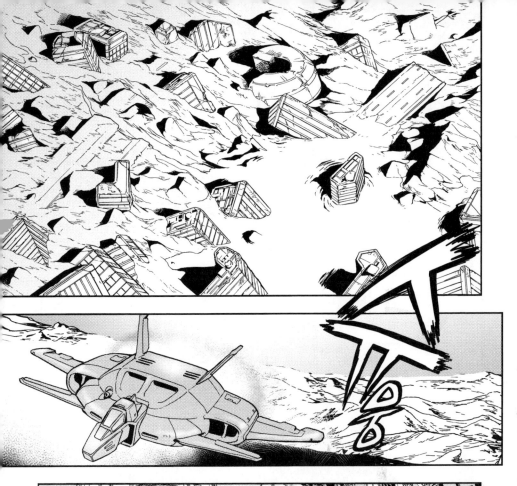

보고
받았던
소형정을
확인.

주위에
적은 보이지
않습니다.

기체는 이미 파기돼서 아무도 없음…

지면에 차량 주행 흔적을 복수 확인.

추적을 교란하기 위해 사방으로 도주한 것 같습니다.

이쪽에서도 MS를 증원으로 보내겠다. 수색 범위를 넓혀라.

건담은 아직 확인하지 못했나. 그래!! 알았다.

그게 우리를 의심할 증거는 안 될 텐데.

지온 소형정은 찾았다.

이걸로 건담이 아직 살아있을 가능성이 농후해졌다.

그럴까?
표적은 의외로
여기서
가까운 곳에
강하했다.

그렇다면
왜 건담이
구난 신호도 없이
숨었지?

통신을
못 할 만큼
기체가 손상됐을
가능성도 있다!!

그게 지온과
내통했다는
증거가
아닌가!!

그 녀석을
데려오면
오해를 풀 수
있잖습니까!!

시냅스 함장님!!
제가 코우를
수색하러
가겠습니다.

......

그게
무슨….

난 지금
지휘권이
없어서
허가를
못 한다.

......

좋다.
건담 수색을
허가한다.

결백을
증명하고 싶으면
건담을 찾아내!!

단,
라이플 휴대는
허가하지 않는다.
동료 수색이라면
필요 없을
테니까.

네놈들한테는
응답할 수도
있으니까.

…
그래도
좋습니다.

갑니다
!!

오히려 기회야.
키스치고는
잘 했어!!

하지만
여기 있어봤자
혐의는 풀리지
않습니다.

키스 저 자식…
우리까지
끌어들이고!!

그렇다면
이 앞에
그 놈이…

그래!!
우리 사냥감은
어디까지나
가토다.

그럼
결정됐군요.

부

야
옹

건담 앞에
움직이는
물체.

사람
입니다.

뭐 하는
거야.
같은 연방군
이잖아.

코우!!

네놈이 적이 아니라면 도망친 지온 놈들의 소재를 말해라!!

난 그런 거 몰라!!

코우!!

콜로니가 떨어지기 직전에 지온 소형정에 탄 건담이 확인됐다!!

그런데 돌입하다가 충격파에 휘말려서 코무사이에서 떨어졌다.

그건… 대기원에 돌입하기 위해 적 코무사이를 이용했을 뿐이다.

네놈이 적과 공모했다는 증거다!!

거짓말 마라!! 지온 잔당은 어디로 도망쳤지!!

그래서 아무것도 몰라

큭…

…

가토는….

그리고 가토가 콜로니 안에 있었다고 궤도함대가 보고했다.

지금 도망친 잔당 중에 그놈도 있는 게 아닌가!!

코우를
풀어줘!!
같은 편끼리
뭐 하는 거야.

쿠웅

응?

E.F.G.F

사령관님!!

네놈들
어디
부대냐?

무장도
없이?

지온 잔당을
쫓아왔다고?

위

잉

척 척 척

무기와 탄약을
소모했는데,
혹시 보급 좀
받을 수
있을까요?

독립부대로서
특명을 받아
단독 임무를
수행 중입니다.

알비온
부대
입니다.

여긴 피난소니까.

보급은 해주겠다. 하지만 여기서 전투는 안 된다.

어떻게 협력 좀 안 될까요?

저희는 그 가토를 쫓고 있습니다.

그 적 부대가 아나벨 가토의 이름을 내세웠다고 했습니다.

제6 전차 중대가 지온 잔당으로 보이는 MS 부대와 조우

예.

분명 몇 시간 전에 그 녀석에 대해 보고를 받았지!!

응?

가토?

......

MS 부대?

예상했던 전력하고 다른데.

게다가 자기가 가토라고 했단 말입니까?

어차피
포기하려던
참이니까…

사소한 일은
신경 끄자고.

하는 수
없지…

그래서?

거기가
어딥니까?

이 불사신
제4소대가
해결하겠
습니다!!

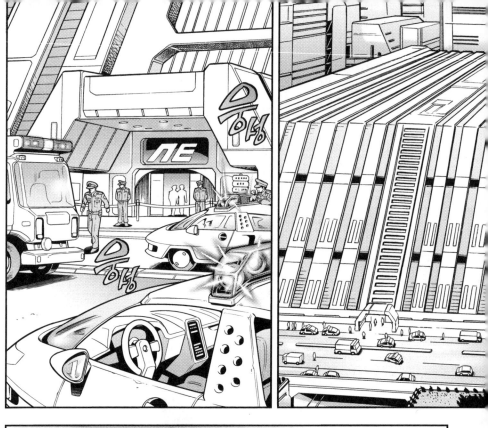

죄송 합니다 밀러 소령님!!

감시 대상이 당한 건 제 실수 입니다.

상황을

보고해봐.

예!! 달 표준시각 16시 12분에 오설리번 상무의 비서가 사체를 발견. 현지 경찰에 신고.

사무실 보안 장치는 정상적으로 작동했고

침입자의 흔적은 기록되지 않았다고 합니다.

오른쪽 측두부 지근거리에서 발포한 총탄에 의한 뇌간 기능 파괴.

사인은 …

현지 경찰의 판단으로는 자살이라고 합니다.

흉기는 무등록 38구경 회전식 권총 「스냅노즈」.

예!! 정보부의 위신을 걸고.

오설리번에 관한 정보는 앞뒤 가리지 않고 다 긁어모았 겠지.

그럼 당장 지금 운용에 관한 흐름을 자세히 조사해.

아슬아슬하게 살아남았네, 제이콥.

꼭 뭔가를 찾아내라.

예!!

오설리번의 죽음으로 득보는 자…

AE 내부의 숙청… 쪽이 타당하겠지.

아냐… 그쪽 스타일이 아냐.

놈과의 관계를 은폐하려는 군속의 짓인가?

짐작 가는 동기가 있습니까?

학스웰 소장님, 오설리번 상무의 자살에 대해 어떻게 생각하십니까?

개인적인 질문엔 대답하지 않겠습니다.

동료의 불행한 일에 정말 가슴이 아픕니다.

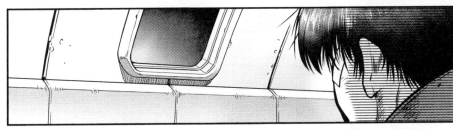

…

그냥
냅둬…

이봐
멋대로
움직이지 말라고
몇 번을 말해야
하나!!

중력에 사로잡힌
어스노이드의
혼을
우주로 향하게
한다.

그것을 위한
콜로니
낙하다.

닥쳐
가토!!

이런 상황에서
너와 의논할
생각 없어!!

제88화 「각자의…」

아델!!

가토하고
전혀
상관없는
부대였어…

젠장!!
대체 뭐냐고
이것들…

그럼
가토를 추적할
단서가
없어졌다는
겁니까?

헛고생만
하고…

언제든 콜로니를 떨어트릴 수 있으니까

이 광경을 잊지 마라‼ 하고…

우릴 협박하는 거야.

위이

위이잉

키스‼

한심한 노병 하나로 전쟁의 대가를 치르는 건 충분하다.

우리… 이제 어떻게 될까.

시냅스 함장님….

알비온 부대가 여기서 끝난다는 건 확실하겠지.

각지에서 콜로니 낙착에 촉발된

구 지온군 잔당의 테러 행위와

반정부조직의 항의 활동과 시위가 발생하고 있습니다.

폭동 진압을 위해 군대까지 출동해서 많은 사람이 죽거나 다쳤고, 체포된 사람도 다수입니다.

현장에서 폭도들이 내세운 깃발과 벽에 그려진 이 마크는

지구에 떨어진 콜로니 2개를 뜻하며

정부의 실책에 대해 항의하는 의미라고 합니다.

우주인의 음모에 놀아나고 있을 뿐입니다.

반정부 활동은 철저히 탄압해야 합니다.

이 마크는 원래 지온 잔당이 그리던 것이라고 하더군요.

...

siegZEON

아직
무리해서
돌아다니지
마세요,
케리 씨.

복부 상처는
아직 완치되지
않았으니까.

…

그 상황에선
그랬다… 고밖에
할 말이 없겠죠.

가토가 탄
코어 유닛이
충격파에
휘말려서

들고 있던
코우의
건담한테서
떨어진 걸
봤어요.

그 뒤에 건담도
코무사이에서
떨어져서…

가토도
우라키도
생사 불명인가.

델라즈 각하가 돌아가신 뒤에 반공세력의 상징인 가토 소령의 존재를 유지하기 위해서는

생사 불명이라는 정보가 중요한 효과를 보이거든.

그 쪽이 좋은 경우도 있지.

그건 가토 소령도 바란 일이다.

나도 소령이 무사히 돌아오길 바라고 있어.

오해하지 말라고 레즈너 대위.

전 그렇게 중요한 일이라는 걸 이해할 수 없습니다.

나웨스트 중령님!!

예상대로 대량의 HLV가 지상과 우주를 오가기 시작했지.

연방 정부는 우주에서 식료를 공급하는 정책을 개시했다.

하지만 언제까지고 여기에 숨어있을 수는 없어. 사태는 움직이고 있으니까.

우리는 우주로 돌아가서 다음 싸움에 대비해야 하니까.

댁들도 우주로 돌아갈 이유가 있잖아.

그 중 하나에 밀항하기로 했다.

우주로 돌아갈 수는 없다….

안 돼!! 나 혼자 살아 남아서

케리 씨….

케리 씨!!

이제 라트라를 만날 수 있어요!!

지온 잔당에 대해서는 입을 다물고 있나보네.

우라키 소위…

계급 따윈 신경 안 씁니다.

작전 종료시에 소위로 돌아왔다는 건 들었지.

전시 계급이었던 중위 특진이

그보다 알비온 사람들은 무사한가요. 가르쳐주세요.

정보는 기브&테이크로 가자고…

이걸 봐봐.

그래, 시제 건담 3호기 '스테이멘'.

당신 건담이야.

대기권 돌입 때 고열에 노출된 탓에…
제대로 기동도 못 하는 상태였다는 건 이해 해.

그런데 솔직히 말하자면, 군이 원했던 건 기체 자체가 아니라 건담의 기동 데이터.

지상으로 도망친 지온 잔당으로 이어지는 정보가…

블랙박스에 기록돼 있을 거라고 추측했거든.

콕피트 내부를 완벽하게 파괴한 탓에.

시제기 특유의 기밀 보호 장치가 작동해서

그런데 회수한 블랙박스에서는 아무 정보도 못 얻었어.

그럴 만도 하겠지.

도망친 잔당 중에 아나벨 가토가 있을지도 모른다고 한다면

고작 시제 MS 한 대를 회수하는데

왜 그렇게까지 고집했을 것 같아?

그럼 왜 건담을 파괴한 거야?

너한테는 제1급 군규 위반과 반역죄 혐의가 걸려 있어.

가토는 제가 쓰러트렸 습니다. 그 얘기는 몇 번이나 했습니다.

전 안 했습니다….

자신이 결백하다고 주장하려면

장치는 수동으로만 작동하는 기구였어.

그런데도 오작동이라고 할 거야?

그걸 증명하는 데 기동 데이터가 필요했을 텐데.

모르겠습니다….

그래…

그럼 질문을 바꿔볼게.

니나도… 그 콜로니 안에 있었어?

......

...

알았어.
나중에
다시 올게.

그 때까지
잘 생각해둬.

네가
위험한 입장에
있다는 걸.

......

함장님은?!

알비온
부대…

시냅스 함장님
외에는
아무 처벌도
없어.

직권남용과
반역죄로
군사재판에
회부됐어.

확실하게 같은 편이라고는 안 하는군요.

그것만은 기억해둬.

당신들을 이해하려 하고 있어.

최소한 나랑 밀러 소령님은

목성 선단 공사 스테이션 독에 잘 오셨습니다.

이 구역에서의 전투와 그에 준하는 행위는 설령 연방군이라 해도

테러 행위로 인정된다는 것을 이해해 주십시오.

저희는 비정부조직인 동시에 모든 조직에 대한 중립을 약속받았으니

여기가 사이드6 이상의 중립 조직 이라는 건 알고 있어요.

고맙습니다, 앨리스 밀러 소령님.

무기는 일절 반입 금지니까 여기 보관해 주세요.

122

가라하우
…?

난
제16
수송선단
헌트 선장

에페메라
헌트,
그게
내 이름
이야.

그게 누구지?
누구랑
착각한 것
같은데.

봐,
여기
신분증도.

무슨 일인가
했더니,
아무래도
그쪽
착각인 것
같아.

그렇지?
밀러
소령.

출항하려던
참에

연방 장교의
시찰이라고
해서

용의주도
하군.

흥…

시마
중령!!

아무리
이름을
바꿔봤자
콜로니를
떨어트린 죄는
사라지지
않아….

연방군이 왔다는 건 들켰다는 얘기죠. 제가 그놈을 죽여버릴게요.

관둬라 클라라!! 발포는 안 된다. 그러면 출항도 못 하게 돼버려.

여기는 중립지대다. 지온도 연방도 없어. 이 목성 선단에 탄 시점에서, 놈들은 우리한테 손을 못 댄다.

넌 물자 반입 작업이나 계속해.

하지만….

대체 뭘 하러 온 거지.

여기선 연방도 활동권이 없는데.

헬륨3가 없으면 함도 MS도 기동할 수 없다.

남극 조약에서 체결한 중립 구역 이지.

그래, 잘 알고 있다

그만큼 중요한 물자를 운반하는 공사니까.

그럼 착각했다고 포기하고 끝났네. 후딱 돌아가셔.

시마 가라하우가 살아있는 걸 확인하러 왔다…

바스크 대령이 군규를 위반한 물증이 필요하다.

목적이 또 하나 있다…

아앙?

흥

군인이 적한테 부탁하게 돼 있나?

부탁 한다!!

놈을 법정에 세울 물증이 필요해!!

바스크와의 교신!! 함대 기록 데이터!! 뭐든 좋다.

지구권에 남아서 증언해 달라고는 안 한다.

목성…

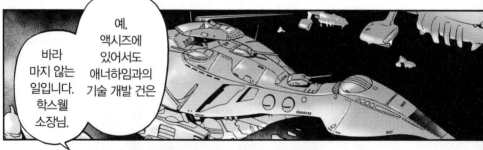

예,
액시즈에
있어서도
애너하임과의
기술 개발 건은

바라
마지 않는
일입니다.
학스웰
소장님.

저희 기술부도
귀사의
MS 개발 능력을
높이 평가하고
있습니다.

감사합니다
허슬러
중장.

바로
제안할까
하는데…

그럼, 앞으로 액시즈와 귀사의 개발 발전을 기대하겠습니다.

좋군요. 액시즈에 귀환하는 대로

위쪽에 말해보겠습니다.

지구권에서 간섭하기 힘든 포인트에 MS 공동 개발 시설을

설치하고 싶습니다만, 어떠신가요?

저야말로, 그럼 나중에 또….

학스웰 부장님. 연방군 정보부 밀러 소령님이

통화를 요청하고 있습니다.

후우… 이 사무실은 악취미에다 끔찍해.

빨리 리모델링 해야겠어.

정보부?

예.

HLV로 우주에 귀환할 준비가 됐다는 연락이.

그래.

그리고, 퍼플턴한테서 연락은 왔어?

알겠습니다.

지금은 바빠서 못 받는다고 전해줘. 앞으로도 연결할 필요 없고.

135

네 희망을
이뤄줄
테니까.

……
빨리
돌아와
니나.

쿠

쿠쿠

우주….

…

현재
지구 중력권을
벗어나
관성 항행으로
이행.

지금부터
신 사이드4로
귀항합니다.

......

미안하다 가토…

케리 씨…
연줄도 없는
스페이스
노이드가
혼자서

지구에 남아
가토를 찾는 건
불가능해요.

나도
알아…

하지만
나 혼자
우주에…

그럼
그렇게 믿고
소령이
돌아오길
기다리라고.

케리
레즈너
대위.

그 녀석이
죽을 리가
없는데…

니나 양은 애너하임으로 돌아가나?

당분간 MS 개발부서로 돌아가지 못하겠죠.

글쎄요? 아직 사적은 남아 있겠지만

전 그저, 모니터 속에 있는 건담이라는 존재만 보고 있었더라고요.

그런데 코우와 가토, 그리고 케리 씨의 싸움을 보고 알았어요.

당신들은 군인으로서, 파일롯으로서 싸웠어요.

「그럼 난?」 엔지니어로서의 싸움이 뭔지 계속 생각했는데

다들 뭔가에 맞서 싸웠죠.

역시 건담을 만드는 것밖에 없어요.

이런 상황에서 어디까지 할 수 있을지는 모르지만

그러다보면 언젠가 반드시 할 수 있을 거예요. 꼭!!

예?

역시 당신은 강한 사람이야. 니나 양.

알고는 있었지만…

……

학스웰 그 인간이…

그래, 계속 통신을 거부해보라고.

애너하임에 대한 조사 활동을 즉각 종료하라고 합니다!!

밀러 소령님, 위쪽에서 긴급 지령이!!

이대로 애너하임 본사로 쳐들어가면 그만이니까.

언제부터 연방이 민간 기업 눈치나 보는 조직이 돼버린 거야!!

......

판결 내용은….

그리고 조금 전에 들어온 정보인데 군사 법정에서 알비온 함장에 대한 판결이 내려졌다고 합니다.

항소도 재심 청구도 전부 기각되고, 즉시 집행됐어.

죄목은 군령 위반과 함정 사유화, 독단 전투 행위, 기밀 누설 위반까지

총살 이라고!!

세상에…

함장님이… 처형?

뭔가 잘못된 거죠?

말도 안 돼요… 어떻게….

무슨 얘깁니까?

앉아 봐, 우라키 소위. 심문실 녹음은 끄고 왔으니까.

편하게 말해도 돼.

......

죄송 합니다…

타냐 중위님과 밀러 소령님은 저희를 위해 움직이고 계신데…

방송…?

당신한테 보여주고 싶은 방송이 이제 곧 시작되기 때문이야.

지금 여기 온 이유는

지금 당신이 대치한 적이, 어떤 것인지!!

당신은 꼭 알아야 해.

함장님을 죽인 놈의 정체를…

…

KOU URAKI

연방군의 전세계 동시 방송, 라이브 영상이야.

연설 개요는 연방 내부 조직 재편성에 관한 선전 방송이고.

당신 적은 바스크 개인이 아냐. 연방이라는 거대한 조직 그 자체.

그게 당신을 삼켜버리려 하고 있어.

바스크 …!!

굳이 말하겠다…

우리는 지금 미증유의 위기에 처해 있다고.

일년전쟁의 압도적 승리로부터 3년이 지난 지금도

지온을 표방하는 잔당들이 우글거리고

우리 동포에 대한 테러 행위를 저지하지 못하고 있다!!

어째서 인가!!

어째서 그런 거짓말을…?!

사고?!

민중에 대한 정보 조작이야.

우리의 지구는 항상 온갖 위기에 노출돼 있다!!

북미대륙 곡창지대에 큰 타격을 준 스페이스 콜로니 낙하 사고를 볼 것도 없이

따라서 여기에!!

지구인에 의한 지구인을 위한 정예 특수부대를 설립하게 됐다.

그 부대의 이름은

티탄즈!!

그럼
키스도
….

어디로
갔는지는
모르겠지만,
좌천 취급이
분명해.

키스와
모라는
티탄즈
전속을
거부했어.

델라즈 분쟁의
진상을 알고 있는
사람들을
가까이 두고
감시하려는
목적으로.

알비온
대원은
대부분
이 부대로
전속됐어.

티탄즈
….

신념으로
질서를
가져올
것이다!!

우리 부대가
이 지구권의
규범이 되어

지구…

이 우주의
심볼을
굳건히
하기 위해,
우리는
탄생했다.

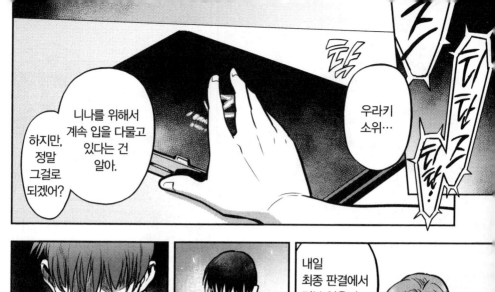

하지만, 정말 그걸로 되겠어?

니나를 위해서 계속 입을 다물고 있다는 건 알아.

우라키 소위…

내일 최종 판결에서 전부 잃을지도 몰라.

함장님 건도 잊지 말고…

0083… 이 한 해가 제 전부 입니다.

니나와 만나고 건담에 타서 가토와 싸운.

그리고 이 손으로 가토를 쓰러트리고 건담의 싸움은 끝났습니다.

그러니까 지금 제겐 잃을 게 없습니다….

…

그래…

알았어….

솔로몬의 악몽 아나벨 가토는 살아 있나?

살아 있다면 잠복 장소를 말하라…

적의 정보를 알면서 보고 의무를 다하지 않는 것은 군규 위반이다!!

중죄에 해당한다!!

어째서 말이 없나!!

계속 침묵해봤자 유리해지지 않는다….

MOBILE SUIT
GUNDAM
0083
REBELLION
STARDUST MEMORIES

MOBILE SUIT
GUNDAM
0083
REBELLION
STARDUST MEMORIES

UC.0084.03.10 :14:45:08

자미토프 각하.
소장 진급이
정해지셨다고
들었습니다.

이걸로
티탄즈도
걱정
없겠습니다.

아직이다.
내 이상은
지구 환경의
재생.

제90화 「코우 우라키」

TITANS

그 폐해가 되는
연방 정부의
오만과 타락을
바로잡기에는
힘이 더 필요하다.

티탄즈는
그 선구자일
뿐이고!!

TITANS

저도 그렇게 확신합니다. 코웬 중장님.

콜로니 낙하를 자미토프의 야망에 아주 잘 이용했군.

놈은 그 일이 시작된 때부터 자기 정예 부대를 설립할 기회만 살피고 있었다.

그렇지 않으면 일이 이렇게 빨리 진행됐을 리가 없으니까.

그렇다면 임무로 돌아가게, 밀러 소령.

이걸로 바스크 대령의 멱살을 잡으면 중장님 본인도 사문 대상이 되셨지만 티탄즈의 폭주도 막을 수 있습니다.

그럼 맡겨주신 건담 개발 계획의 모든 자료를 모아서 델라즈 궐기의 전모를 군사 법정에 제출하겠 습니다.

예

뻐

뻐

난 이미 지휘권을 박탈당하고 실각한 몸이다. 신경 쓸 필요 없어.

나카토 소령!!

GP 계획 등록 말소를 정말로 상부에서 결정한 겁니까.

조직의 뼈대를 무너트리려 하는 불온한 놈들의 입을 다물게 하기 위한 처치다.

조직을 지킨다는 건 이런 거라네, 대위!!

그 건담의 압도적 성능을!!

당신도 라비앙로즈에서 목격했을 텐데요.

그게… 앞으로의 MS 개발에 얼마나 큰 손실을 불러올지는 알고 있습니까?

글쎄? 그런 MS는 기억에 없는데.

압도적 물량이 정의 라고!!

군대의 힘은 숫자다!!

우리 티탄즈에 원 메이크 고성능 기체 따위는 필요 없다.

큭….

그렇다면 군을 그만두는 것도 좋은 선택 우라키… 이다.

그래도…

결국은 조직의 감시를 벗어나지 못하겠지…

아…

당장 석방 수속을 진행해. 또 선수 치기 전에.

너는 파일럿으로서는 우수했지만, 군이라는 조직에는 어울리지 않는다

건담에 탑승하는 녀석들은 그런 경우가 많을지도

친구한테 너무하는 거 아냐?

이대로 인사도 없이 어디로 가려는 거야?

니나.

폴라.

오랜만에네 하로···

다들 어떻게 됐어?

극비 취급이라서 알아보느라 고생했어.

클레나 학스웰이 신설한 MS 개발부에 배속됐다면서.

건담 개발 계획은 부서가 통째로 날아갔어. 개발 데이터도 말소.

스태프도 전부 다른 과로 이동시켰고.

건담이랑 엮이면 좋을 게 없다.

사내에 그런 소문이 돌고 있지.

하지만… 건담에는 희망도 있어.

거듭되는 어리석은 전쟁을 억지하는 존재.

그게 건담이야.

사과할 필요는 없어.

뭐라고 해도 네 결의는 변하지 않겠지. 그게 니나니까.

미안해… 폴라.

난 도저히 이해하지 못할 것 같아.

니나… 네가 뭘 체험하고 뭘 느꼈는지

뭐라고?

애!!
그리고
그 하로도
주려고.

지금은
작별 인사
하러 온
거야.

니나

니나
같이

같이
가자….

뭐?

하로 안에,
너한테 보내는
메시지 로그가
있었어.

생체 인증으로
잠겨서 내용은
모르겠지만….

힘들면
언제든
연락하고.

그럼...
내 할 일
다 했으니까,
이제
작별이네.

...

고마워
폴라.

코우....

그리고
너랑
우라키 소위
잘 어울릴 것
같아....

UNT. NORTH AMERICAN
OAKLY BASE

WARNING
THIS AREA WITHOUT PERMISSION
OF THE INSTALLATION COMMANDER.
THIS AREA IS PATROLLED BY
MILITARY WORKING DOG TEAMS

삑…

…
…소위

마중
나오긴
했는데…
괜찮아…?

어…

우라키
소위!!

아…
고마워
모라.

당신,
여기까지
걸어왔어?

자.
타.

부
우
웅

…

네가 이걸
듣고
있을 때…

나는 아마도
이미 네 앞에서
사라졌겠지….

메시지
로그

접속…

RMS-106 하이잭.

생산 부족을 메우기 위한 급조 양산기 인가.

이 중력하 테스트가 끝나면 당장이라도 롤아웃해서 배치가 시작된다나.

자쿠II를 베이스로, 구조는 기본적으로 짐인 하이브리드 기체야.

가볍고 다루기 편해. 괜찮게 뽑았어.

그때는 전방위 모니터가 표준 사양이 된대.

세상 많이 변했어.

올라
가자
키스!!

기다려
코우!!

솔직히 말해서, 가토랑 싸운 게 꿈이 아닌가 싶을 때가 있어.

저기, 코우!!

너무 많은 일이 있어서, 실감이 가지 않는다고 할까.

후우..

현실이야. 우리는 가토와 끝까지 싸웠어.

하늘을 봐, 키스!!

줄어들기는 했지만

아직도 보이네, 콜로니 파편….

The battle is over…and a new era

MOBILE SUIT
GUNDAM
0083
REBELLION
STARDUST MEMORIES

전장의
숙명에서
벗어날
수는
…없다
MOBILE SUIT
GUNDAM
0083
REBELLION
STARDUST MEMORIES
코믹스 17권을 기대해주세요!!

전장의 기억

사관후보생으로 트링턴 기지에 배속된
코우 우라키가,
그 이후에 일어난 일련의 델라즈 분쟁의
중심에 휘말리게 됩니다.
그러면서 신참 병사였던 코우가
동료의 희생, 허무한 전사를 보고,
라이벌 가토와의 싸움을 거치면서
파일럿으로서 성장해가는 모습을 계속 따라가는,
그런 이야기였습니다.
스토리 속에서는 겨우 몇 달 동안에 일어난 사건이지만,
그 사건을 그리는 데 약 8년이라는 시간이 걸렸습니다.
아, 안녕하세요. 작화 담당 나츠모토입니다.
이번 「0083 REBELLION」에서는
최대한 작가의 존재가 보이지 않도록,
이런 코멘트를 쓰지 않고 진행해왔습니다.
순수하게 건담 작품으로 성립하는 데만 주력했기 때문입니다.
하지만 여기서, 코우의 이야기가 일단락됐기에,
독자 여러분께 보내는 감사의 뜻을 담은, 한 마디를…
독자가 되어주셔서 정말 감사합니다.
솔직히 아직 다 그리지 못한
인물이나 에피소드를 생각하고 있으니까,
앞으로 조금만 더, 건담 월드와 함께할 수만 있다면,
작가로서 정말 행복하겠습니다.